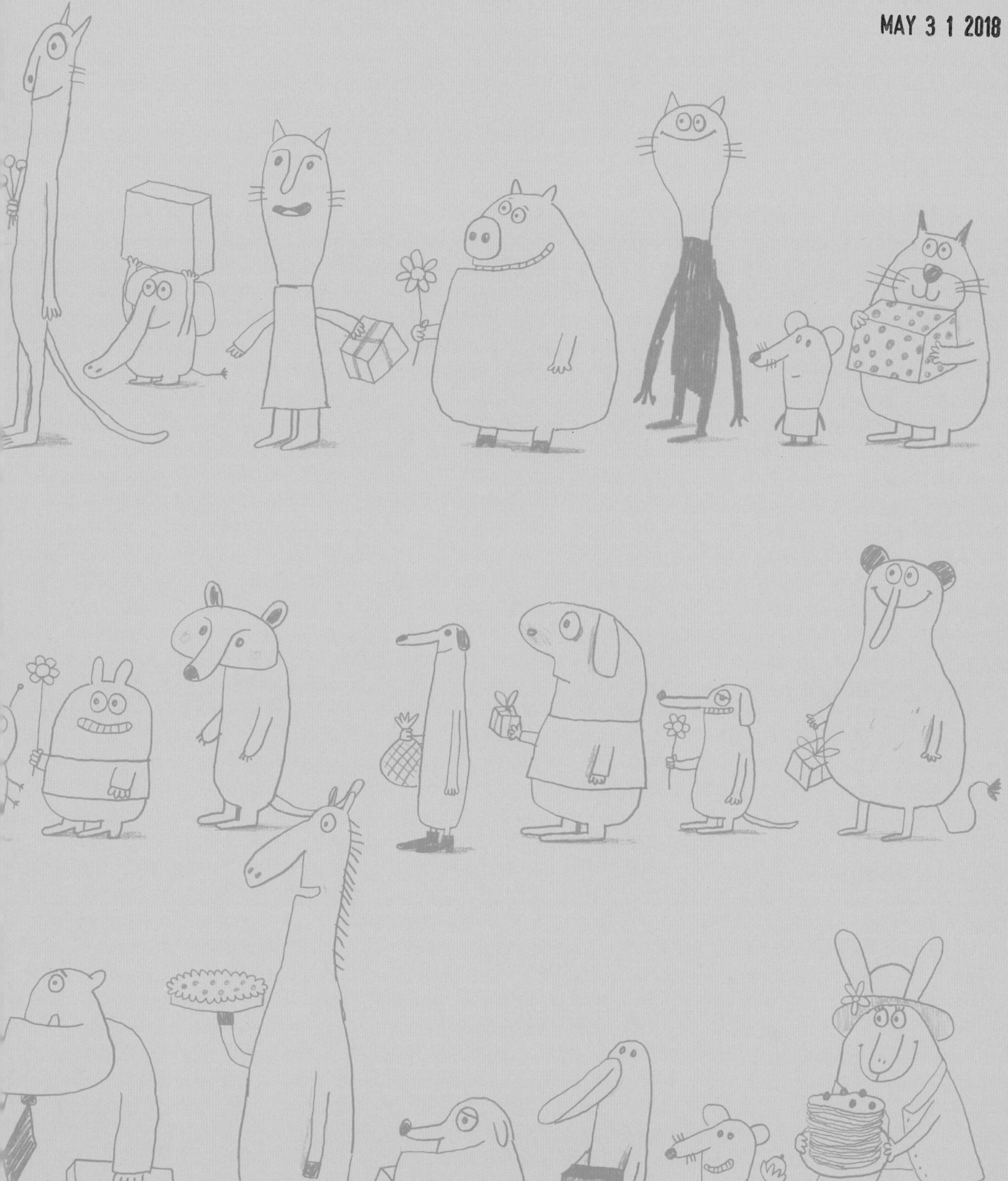

A los Amigos
por sus tés calientes,
sus chistes malos
y sus brazos grandullones
R. B.

A Lissa
D. D.

Traducido por Elena Gallo Krahe

Título original: GROS-LAPIN
Publicado por primera vez en Francia por naïve editions en 2007
© hélium/Actes Sud, París, Francia, 2017
Acuerdo realizado a través de la Agencia Literaria Isabelle Torrubia
© De esta edición: Grupo Editorial Luis Vives, 2017

Edelvives Talleres Gráficos. Certificado ISO 9001
Impreso en Zaragoza, España

ISBN: 978-84-140-1055-6
Depósito legal: Z 996-2017

EL MALESTAR DE CONEJO

Ramona Bădescu
Delphine Durand

EDELVIVES

Conejo está alicaído. Tiene un malestar.

Un malestar grande como él.
Un malestar muy insistente que lo sigue a todas partes
y no le deja pensar en nada más.

Así que decide llamar a Ardilla.

Pero Ardilla no contesta al teléfono.

Seguramente no está en casa.

O a lo mejor tenía algo importante que hacer,

algo que no incumbe en absoluto a Conejo.

O tal vez... tal vez Ardilla esté tomando un té.

Sí, seguramente está tomando un té con Oso Pardo,
y justo en ese momento se están contando chistes.
Unos chistes tan divertidos que no les apetece
que nadie les agüe la merienda.
Sobre todo si ese alguien viene con un **malestar ENORME**.

Y precisamente Conejo
tiene ese malestar tan fastidioso
que no se aparta de su lado.

Conejo pone algo de música para distraerse un poco.
Una música agradable y melodiosa que le encanta escuchar, escuchar, escu...

¡No, no y no!
¡Ya basta con el dichoso malestar!
¡No le deja ni escuchar su música!

Conejo está harto.
Harto de ese malestar tan poco divertido. ¡Es un incordio!

Conejo enciende la tele.

Y entonces, ¡oh, no, horror! ¡Ahí está su malestar!

Su malestar vestido de payaso.

Su malestar dando el pronóstico del tiempo.

Su malestar anunciando un champú.

Su malestar desnudo.

¡¡¡QUE PARE YA!!!

Medio mareado, Conejo se va a la cocina
para hacerse una ensalada. Pero no logra
quitarse de la cabeza su enorme malestar.
Ahí está, en **SU** salón, tumbado en **SU** sofá,
sacándose pelotillas de mocos
(y formando **MONTONES**) sobre **SU** moqueta.
A Conejo se le quitan hasta las ganas
de comerse la ensalada.

Da mil vueltas por la casa, de un lado para otro, con su malestar a cuestas.

De repente, por casualidad, tropieza con una foto de su madre,

y entonces se pone a echarla mucho de menos.

Recuerda las deliciosas tortitas que le hacía los domingos, especialmente para él.

Las maravillosas historias que le contaba mientras le acariciaba las orejas.

Los besitos que le daba en la punta del hocico.

Y su olor a primavera soleada. Y entonces piensa: **«¡MAMÁÁÁ!»**.

Conejo llama a su madre.

Pero resulta que justo en ese momento está **ocupadííísima.**

¿No podría llamarla un poco más tarde?

Porque, bueno, Conejo debe comprender que mamá tiene que hacer

una cosa muy importante y muy urgente que no puede esperar,

pero le envía un beso y hasta luego, ¿eh, cariño?

Conejo cuelga y se pone a pensar.

Él también busca algo **importantísimo** que hacer,

algo urgente que no pueda esperar...

Pero no se le ocurre nada.

Lo único que ve es ese **ENORME** malestar que campa a sus anchas.

Le gustaría encontrar algún modo de lograr que se marchara,

de echarlo, de deshacerse de él. Para quedarse por fin **A SOLAS**.

Entonces tiene
una idea. Sí, una idea
luminosa, una idea
hecha y derecha.
¡Por fin! ¡Eso es!
¡Pues claro!
Va a fabricar un circuito
de flechas. ¡Flechas
que indiquen el camino
de salida! Conejo está
tan contento y entretenido
con su idea, y tan entusiasmado,
que ni siquiera ha oído
el timbre de la puerta.

RIN RIIN RIIINNN

«¡Ya era hora!», piensan los amigos que se agolpan
detrás de la puerta, cuando por fin se abre.
Y Conejo se sorprende al ver cómo Ardilla,
Oso Pardo, Lechuza, Oso Hormiguero y las Luciérnagas
entran en tropel en su salón.
Han venido todos sus amigos.
Y el timbre, **RIIIN,** suena otra vez.
¡Oh!... ¡¡¡Es mamá!!!
¡Con un pastel de tortitas!

¿Qué hacen aquí todos sus amigos con tantos regalos?

¿Será... **Navidad**?

No, ya no estamos en Navidad.

¿Será... **primavera**?

No, todavía no ha llegado la primavera.

¿Será... una **despedida**?

¡Oh, no! ¡Una despedida no!

—¡Es **TU CUMPLEAÑOS,** tontaina!

Y, con tanta fiesta, Conejo se da cuenta
de que ha olvidado por completo su malestar.

No queda ni sombra, ni pizca, ni rastro de él.
El malestar se ha esfumado, olvidado, volatilizado.
¡Adiós, muy buenas! ¡Ja!